Ar Ben y Lôn

D0413090

Ar Ben y Lôn

IDRIS REYNOLDS

Gomer

Cyhoeddwyd gyntaf yn 2019 gan
Wasg Gomer, Heol Awst, Caerfyrddin SA31 3AL
www.gomer.co.uk

ISBN: 978-1-78562-292-2

© y testun Idris Reynolds, 2019 ©

Mae Idris Reynolds wedi datgan ei hawl dan
Ddeddf Hawlfreintiau, Dyluniadau a Phatentau 1988
i gael ei gydnabod fel awdur y llyfr hwn.

Cedwir pob hawl. Ni chaniateir atgynhyrchu unrhyw
ran o'r cyhoeddiad hwn, na'i gadw mewn cyfundrefn
adferadwy, na'i drosglwyddo mewn unrhyw ddull na
thrwy unrhyw gyfrwng, electronig, electrostatig, tâp magnetig,
mecanyddol, ffotogopïo, recordio, nac fel arall,
heb ganiatâd ymlaen llaw gan y cyhoeddwyr.

Cyhoeddwyd gyda chymorth ariannol
Cyngor Llyfrau Cymru

Argraffwyd a rhwymwyd yng Nghymru gan
Wasg Gomer, Llandysul, Ceredigion SA44 4JL

I Elsie

Cynnwys

Diolchiadau

Carwn ddiolch i Meirion Davies a staff Gwasg Gomer am eu gwaith glân, ac i'r Prifeirdd Gruffudd Owen a Huw Meirion Edwards am eu hawgrymiadau gwerthfawr a'u gofal wrth ddarllen y proflenni ac wrth lywio'r gyfrol drwy'r wasg.

Rhagair

Gan fod y bardd Sarnicol rywle yn yr achau, tybiais fod gennyf hawl deuluol i fenthyca testun ei gerdd enwocaf fel teitl i'r gyfrol. Rhannai'r ddau ohonom, ar wahanol gyfnodau, yr un filltir sgwâr ar lethrau Banc Siôn Cwilt. Ac er fy mod innau hefyd wedi crwydro ychydig ar y 'bedair ffordd sy'n mynd o'r fan', mae mwyafrif y cerddi wedi'u gwreiddio'n ddwfn yn yr ucheldir rhwng Teifi a'r môr yng ngodre Ceredigion.

Idris Reynolds, Mawrth 2019

Ar ben y lôn

Fan draw ar rostir awen – a erys
   un sgwâr ar y gefnen?
A gaf ar hyd lôn gefen
delyneg o garreg wen?

Daucanmlwyddiant Aberaeron

Wrth i Glogfryn ddihuno
i fwrw'i rwyd dros y fro,
Aeron ein hanesion ni
yn y dŵr ddwed ei stori
am wehelyth, am wylan,
am dai mawr, am dywod mân.
Y llanw a gynlluniodd
inni dref, llanw a drodd
y forlan rhwng llan a lli
yn heolydd o heli,
yr heli sy'n gloywi glan
a'i hagor yn Gadwgan.
Codwyd Pant-teg o gregyn
ger hen gaer o ewyn gwyn,
o'r dyfnder daeth Hen Gerrynt,
Compton o'r gwymon a'r gwynt
yn ei rym wnaeth Dan-y-fron
o hwyliau y gorwelion.
O borth i borth yr aeth bae
Hen Fynyw yn drigfannau,
yn dyddyn, bwthyn, a bad
a môr yn ei gymeriad
wrth i'r halen droi Peniel
i'r un bae â'r *Aeron Belle*.
Mae'r lle'n wyrth, mor llon ei wedd,
yn donnau o dai annedd,
yn lonydd o wylanod,
hafan deg o fynd a dod
anochel cans dychwelyd
wna'r hen fôr yn fyw o hyd.

Etifedd
(er cof am fy nhad a fu farw pan oeddwn yn bedair oed)

Yn glyd a dedwydd mewn gwlad o dadau
roedd rhiant imi mewn hen storïau;
er na all bachgen ail-greu y gwenau
nac un dyluniad roi cnawd i luniau,
gwn yn iawn fod genynnau'n – drech na chof.
A'i feiau ynof, ei fab wyf innau.

Llyfr Mawr y Plant

Mae'r berth mor llawn o chwerthin – ag erioed,
   hen griw'n eu cynefin,
  ond erbyn hyn rydym ni'n
  ofalwyr Llyn y Felin.

Trysor

Ga' i'r gist o'r ddaear arw, – ga' i eilwaith
   ran o'r golud hwnnw,
  a ga' i'n hael o'u digon nhw,
  a ga' i wedyn ei gadw?

Heulwen

A haul hudol pelawdau
gŵyl y Banc yn g'leuo bae,
Morgannwg oedd mor gynnes
ym miri haf môr o wres
cans heulwen San Helen oedd
yn oedi hyd y strydoedd.

Roedd awyr las yn lasach
uwch llain felen bachgen bach
pan oedd nawniau lluniau lliw
yn realaeth amryliw;
byd tesog oedd i hogyn
yn y gwawl o grysau gwyn.

Ac yn awr 'rôl trigain haf
o herio'r Troellwr araf,
San Helen y gorffennol
eto'n Awst a'm tyn yn ôl
i ail-fyw yr hwyl a fu,
i heulwen nad yw'n pylu.

Trên bach y Mwmbwls

Rhywle, rhwng môr a heol – o heulwen
        daw'r rheiliau breuddwydiol
    i ddwyn ar nawn hamddenol
    hufen iâ'r hen hafau 'nôl.

Atgofion Ysgol Gwenlli

... am ddechrau'r ysgol, am adael Mam,
ac Aerona Bla'n-rhos yn fy ngwarchod rhag cam,
am lôn Felin Synod, am sychu o flaen tân
a thorri fy enw ar lechen lân,
am adrodd tablau, am ofn y wialen,
am gymanfa ganu ac am ddringo'r goeden,
am wisgo clocs ac am semolina,
am bwdin peips ac am Ann Synod Villa,
am Angela Page ac am ddwy iard whare,
am Towch, Tom 'Refail a Gareth Bryngole,
am Ddrama'r Geni ac am arian cinio,
am eiste'r Scholarship, am wythnos dato,
am dynnu ffotos a phawb yn gwenu,
am ddysgu englynion ac am gloch yn canu,
am ffiolau llawn a phocedi gwag
a llond iard o blant yn whare'n Gymrâg,
am laeth Tiresgob a chawl Mrs Thomas
a chico pêl gyda Morgan Goyffos,
am fachyn a chylch, am Elwyn Tŷ Preis
a phob un o'r plant yn gwybod ei seis,
am rannu stâl gyda Victor Caerwenlli,
am drip i Aber i weld ffilm o'r Coroni,
am sgrifennu'n sownd ac am dynnu dant,
am drowser byr ac am *Cymru'r Plant*,
am agor ein llygaid i ogoniant ein bro,
am reido beic ar hyd Sarn y Go',
am rai sy'n absennol fel Lilian a Gwilda,
Irwel a Hefin, a bellach Aerona,
am holl gyfoedion y dyddiau gynt,
am Miss Watson, Miss Lewis a'r hen rod wynt.

Plwm pwdin

(er cof am John Roberts Williams)

Un ydoedd â'i blwm pwdin,
un wrth reddf yn troi a thrin
fesul pwys o gynhwysion
ym mhair iaith y Gymru hon.
Dyna oedd ei bwdin o –
un genedl o goginio.

Brandi o Glos Soffia,
cnau a ffrwythau'r dyddiau da
i roi blas dinas Caerdydd
ar fenyn bro Eifionydd,
pinsied o halen henaint
a dagrau gwaed o Gaergaint.

Am un waith ni chawsom ni
o'i luniaeth ef eleni.
Inni i gyd Nadolig aeth
yn ŵyl heb ei gynhaliaeth,
heb bwdin ar ôl cinio,
heb frenin cegin y co'.

Nadolig

Drwy'r iâ daw Santa a'i sach – yn oesol
    i'r nos o gyfrinach,
  ond roedd yr eira'n lanach
  ar y waun a finnau'n fach.

T. Llew Jones yn 90

I wneud Gwydion chwedloniaeth
rhaid cymysgu'r canu caeth
â Dôl Nant, byd y plantos,
gaeaf noeth ac ofn y nos,
berw'r Aifft a Choed-y-bryn,
y Cilie a Jac Alun,

hud y gair, sgwarnogod, gŵyl,
soned a'r Ddilys annwyl,
neuaddau modern addysg
a'r hen Gaerllion-ar-Wysg,
Gwalia wyllt a merched glân,
Nia, Magi a Megan,

Edwin a thraeth Cwmtydu,
Bwlchmelyn a'r deryn du,
Bobby Fischer, Sobers, Syr,
eicons fel Capten Walker,
'Yma o hyd', Jon M.O.,
hen seld a gwersi Waldo,

Iolo a'i sgwrs, blas y gwin,
Emyr a thân ar gomin,
Iet Wen a Richie Benaud,
campau llanc Alltcafan co'
cyn fod batio'n Guto i gyd
a hafau'n Owain hefyd,

cwmni Dic, Carreg Bica,
adar ddoe a stori dda,
gofal mam, y past samon,
cefen gwlad a llygad llon,
yr hwyl a llawer helynt,
y Gof a cheiliog y gwynt,

y potsiar a Kasparov,
y naw deg a'r *deep-mid-off*,
hanes dyn, y Bells a dŵr
a hen leuad chwedleuwr,
broydd hud, niwloedd dudew,
y rhain oll sy'n llunio Llew.

Tua'r Gorllewin ...

Tua'r Gorllewin yn ôl af innau
i fwthyn unnos hafnos o ofnau,
i wrando'r genedl a wnaed o chwedlau
sy' yno'n swynion y nos o synau,
a dilyn y pedolau – wna'r cof maith
i oedi eilwaith dan leuad olau.

Cyfarwydd

Bu llais yn lliwio'r stori – yn fy iaith
dan fast y Preseli,
ond yn awr mae'n clustiau ni
yn fyddar i'r tonfeddi.

Dafydd Islwyn

Ym Margoed y peldroedio
rhyw ddoeau gwâr ddaw i go'
ac yn rhwyd y breuddwydion
y mae o hyd Wolves ym Môn,
du ac aur yw lliw dy gae,
du ac aur ydyw geiriau.
Wyt driw i'r lliw, ac i'n llên,
i liwiau hudol awen,
i aur a du canu caeth,
i ddoe hynaf barddoniaeth
a gafael rhyw hen gofio'n
melynu ias Molineux.
Ac ym Môn, bro Goronwy,
ar y maes roedd arwr mwy.
Codwyd llanc o hyd a lled
Stan Cullis, y dyn caled;
o barc i barc roedd heb ail,
yn Roy Rovers yr Efail.
Parry-Williams a Ramscy
sy'n rhengoedd dy dimoedd di
ac ar y chwith rwyt tithau
yn gân wych, yn hogyn iau,
yn dalent mwya'r pentir,
yn Eifion Wyn Rhos-cefn-hir.
Ymhob Parc Ninian anwel
ennill sy'n bennill neu bêl;
wyt grefft farddol canol cae,
y sgoriwr dros Wolves geiriau,
ac ar faes llên dy henoed
wyt Filly Wright fel erioed.

Geiriau a Gerais

(wrth lansio'r gyfrol gan T. Llew Jones)

Fuoch chi'n ymwneud â'r cerddi
lle mae'r cof yn oedi'n hir?
Lle mae cân y galon dlysaf?
Naddo? Naddo wir?

Chlywsoch chi mo'r pennill telyn
yn cyniwair yn y co'?
Chlywsoch chi mo'r holl englynion
sydd yn dal ar dafod bro?

A fûm i yn dywyll? Naddo,
nac yn canu'n benrhydd chwaith,
ond fe fûm yn cynganeddu
ar Foel Gilie lawer gwaith.

Gweled gwerth i theorïau
mewn barddoniaeth? Naddo fi.
Tra bod rhai yn dadstrwythuro
dilyn awen oeddwn i.

Ewch at Pennar ac at Saunders,
ewch at Bobi yn eich tro,
ewch at Euros, y mae yno
ambell draw godidog, sbo.

Ond i mi rhowch delynegion
llon a lleddf y profiad drud,
yno mae'r farddoniaeth orau
a chewch gadw'r lleill i gyd.

Cofiwch chwithau'r geiriau gerais
ar hyd glannau'r afon ddofn,
blaswch hwy, a'u blasu eto,
peidiwch oedi'n hwy – rhag ofn.

Cadair Dewi Emrys

(mewn talwrn yn Nhafarn yr Eagle,
Llanfihangel-ar-arth)

Deri iaith y gadair hon
naddwyd yn gynganeddion
yn ddeheuig gan Ddewi
ac yn ei lys erys hi'n
un o gelfi saernïaeth
hen weithdy y canu caeth.
Yn Llan'ingel y'i gwelwyd,
eto'n rhan o'r llwyfan llwyd,
yno'n awen y neuadd,
yno'n gefn i'r meuryn gwadd,
yr hen raen ym mhren yr iaith
a ddoe arno'n addurnwaith.

Difrawder

Heb y cyrch o bicwerchi – a fynnai
        gyfuno y perci
    try'r tir hwn a welwn ni
    yn ddeugae o ddiogi.

Priodas aur Dic a Siân yr Hendre

Mae yma lun o'r uniad
yn fan hyn, darn o fwynhad
y ddau glòs wrth fyrddau gwledd
holl linach deulwyth llynedd.
Iddo mwy, fel Dydd Iau Mawr,
daw gwenau pum deg Ionawr.
Cariadon y côr ydynt,
'ti a fi' 'rhen gerddi gynt,
y Caban yn gân i gyd
a'r hebrwng yn troi'n rhywbryd
o raid, gan fod y feidir
i'r ddwy galon honno'n hir.
Ym mhrynhawngwaith y neithior
ar bentir ger miri'r môr
daw'r gwesteion yn donnau
i hwyl y dydd fesul dau
ac yn ôl fel miwsig nant
i'ch aelwyd y dychwelant.
Daw i gof mewn du a gwyn
o fewn eiliad fanylyn
o'r *craic*, o dorri'r gacen
a'r tro hap o golli'r trên.
Mae i lun sy'n melynu
liwiau fyrdd o'r haul a fu,
ac mae'r bae a'i draethau bach
eleni yn felynach;
un dawel, dawel yw'r don
a ry'r lliw ar y llwon,
oriau'r trai sy'n euro'r traeth
â gwawr aur y garwriaeth.

Mi wn

(i longyfarch Tudur Dylan ar ennill Coron 2007)

mi wn fod llawer mynydd
ar ddalen d'awen di
a gwn yn iawn fod gennyt
y ddawn na feddaf i
i weled o'r Preselau
hyd fryniau Calfari.

mi wn na welaf monynt,
y myrdd gopaon cudd,
ond gwn fod degau yno
mewn bro rhwng ffaith a ffydd
yn oedi'n y cysgodion
a'n dwyn at derfyn dydd.

dy hunan aethost yno
dros orwel pella'r paith
i herio ucheldiroedd
y drefn mewn mydrau iaith
a chael bod mwy'n y mynydd
na dyn a phen y daith.

Clwb Cinio Castellnewydd Emlyn yn 30 oed

Aeth tri deg gaeaf o drafod – yn fwy
        na rhyw fan cyfarfod,
    hulio bwrdd yn ddathlu bod
    afon Teifi'n y tafod.

Dinas Hywel Griffiths – Caerdydd 2008

Mewn telyneg o negydd
y mae blas dinas Caerdydd,
Stryd Santes Fair mewn geiriau,
miri'r Aes mewn camerâu,
a'r holl hwyl yng nghyffro llun
nos Sadwrn a'i lens sydyn.
Mae'n iau, mae'n fflamau neon,
mae'n llawn brad, mae'n llygad llon,
mae'n Waun Ddyfal, mae'n Ddyfed,
mae'n un llun o'n hyd a'n lled,
mae'n ddau a dau'n mynd a dod
yn dawel yn eu diod.
Fel Elis Wyn ei hunan
yn nhwrw mawr oriau mân
daliaist ti gorneli nos
o hogiau pell-yn-agos
yr hen hil a'u dyrnau harn,
y to ifanc o'r tafarn.
Ond trwy'r gerdd fe ânt i'r gad
yn ddidwyll eu cerddediad;
a'r lagyr yn eu gyrru
martsiant mas i'r ddinas ddu
yn fyddin o gyfeddach
o ferw bar Ifor Bach,
yn griw dewr i gario'r dydd,
i hawlio holl heolydd
y ddinas, a'i meddiannu,
pob sarn, pob tafarn, pob tŷ.
Yng Nghaerdydd rhyw ddydd a ddêl
ein Owain fyddi, Hywel.

Gwynt

(er cof am John Roderick Rees)

Yn y mêr mor llym oedd min
hen aeafwynt Mehefin
fu'n chwiban dros Fethania
yn rhy wyllt nes difa'r ha',
gwynt dwylath a fu'n brathu
yn ddi-dor drwy'r cystudd du.

Ond rhyw awel dawelach
ddaw â bardd y Mynydd Bach
i warchod cam y fam faeth
yn hualau'r ofalaeth,
a deil y gân amdanynt
yn fyw ar gof hafau'r gwynt.

Gorffwys

Plannodd ei enw a fawr ddim arall
ar erw o bapur TGAU,
yna fel Ffan rhoes ei ben ar ei balfau
a'r llygaid yn hanner cau.

Trafodai'i gymdogion o'r desgiau cyfagos
eu cnydau yn nhrymder prynhawn,
aeth yntau i gysgu, er mwyn cael mynd adre
i drin y maes llafur go iawn.

Crefft

(Lluniwyd Cadair Eisteddfod yr Urdd Ceredigion, 2010, gan
Glan Rees ac fe'i comisiynwyd gan Dic Jones. Er bod iechyd Dic yn
gwaelu, cafodd y ddau gyfarfod buddiol iawn i drafod y cynllun.)

Yng ngweithdy celf roedd gair a phren yn un
ar fainc y saer wrth iddo naddu'i gerdd
a gwyddai'r bardd fu'n trafod llif a chŷn
fod yn y graen gywyddau'r ddaear werdd.
Bu profiad hanner canrif yn llyfnhau
y trist a'r llawen yn eu hawen hwy
gan roddi ffurf i weledigaeth dau
nes troi y grefft yn rhywbeth llawer mwy.
A weithiau daw y doniau hyn ynghyd
i drafod llun a delwedd gylch y bwrdd
a rhoi i'r weledigaeth led a hyd
yn ôl y drefn pan fo meddyliau'n cwrdd.
Roedd angen bardd a saer a ffwrwm waith
i lunio cadair sydd tu hwnt i iaith.

Crochenwyr Ewenni

Mae rhyw ias yma ar waith – a dwylo
    hen deulu o'r dalaith
    yn rhoi doeau lliwiau llaith
    Ewenni mewn crochenwaith.

Ifor Owen Evans

Ar heolydd prysur ein mynd a dod
yr oedd gan Ifor ei 'My Way Code',
ei ffordd ei hunan, nad oedd yn hunanol,
doethineb amgen y gweld gwahanol
wrth iddo arwain y Merc a'r merlyn
rhwng llinellau gwynion y pennill telyn,
y llwybrau difyr a fu'n ei dywys
o Bant-gwyn-arian hyd Ddinas Powys,
y feidir droellog drwy wlad o straeon
i Frynmoriah ac i'r Blac Leion,
ac er cyfaddef gwneud ambell fistêc
ni ddrysodd erioed rhwng y sbardun a'r brêc.
Ar y ffordd i Emaus, fel ag i'r mart,
yr un oedd rheolau gyrrwr y cart,
ac roedd digon o le yng nghefn y Frontera
i gario sipsi ar y daith i Samaria.
Ond yna un bore o Ionawr llaith
fe yrrodd i ffwrdd tua'r pellter maith
heb wregys diogelwch ond ei ffag a'i ffydd
i gadw oed ar gyrion Caerdydd.

Angladd Ifor

Fe awn adre'n drŵp pendrist – o roi'r llwch
  i'r llwch ar awr athrist,
  ei dithau o'n byd atheist
  at sigaréts Iesu Grist.

Hwiangerdd

(Yn ôl adroddiad diweddar mae'r iaith Gymraeg
yn edwino yng nghymoedd Aman a Thawe.)

Lle bu lleisiau pen y bryniau'n
llawenhau yn nhoriad gwawr
y mae bellach wrthi'n nosi
yn y 'Smitw a'r Rhiw Fawr.

Y mae'r strydoedd yn tawelu
yn Nhrebannws a'r Allt Wen.
Ca' dy lygaid, paid â stranco,
y mae'r dydd yn dod i ben.

Mae dy wreiddiau dithau'n ddwfwn
yn y Betws a Thai'r Gwaith,
ac er cof am Gramps a Nanny
huna'n dawel gyda'u hiaith.

Dedwyddyd

Mor braf yw canfod hafan – o heulwen
o fewn aelwyd ddiddan
a golau mwll y glaw mân
yn tywyllu'r tu allan.

I gyfarch Tudur Hallam
ac er cof am Hywel Teifi

Mae'n Galan, a'r gwylanod – hiraethus
   yn yr heth anorfod,
gwylan adfyw'n byw a'n bod
yw gwylan Cantre'r Gwaelod.

Ond yr wylan wahanol – a welaist,
   yr wylan oesoesol,
gwylan hardd i'n galw'n ôl,
gwylan wâr, gwylan heriol.

O wlad dan lach caledi – ei Hionawr
   danfonaist in gerddi
dy wylanod eleni,
gwylan iaith ein Gwalia ni.

Eluned Phillips

Rhwng yr afon a'r tonnau – yn y dŵr
   roedd stori o liwiau,
a rhwng Teifi'r gwir a'r gau
roedd Iwerydd o eiriau.

John Rowlands

Yn ei goleg a'i gegin – fe welwyd
   y nofelydd wrthi'n
ddysgedig yn gweini gwin
hen eiriau'r Goeden Eirin.

Y Parchedig Eric Roberts

Yn y Gair bonheddig yw – yn annog
   gyda'i ddawn unigryw,
yn dadol ein ffrind ydyw
yng ngŵn claerwyn dyn a Duw.

Y Canon Sam Jones

Bu'n fonheddig fendigaid – yng ngwyneb
   yr anghenion dibaid;
drwy'r blynyddoedd yr oedd rhaid
Llanllwni'n ei holl enaid.

Sefydlu y Parchedig Carys Ann ym Mrynmoriah

Rhodiwn i'r Bryn heb bryder – yn enw
   yr Un sy'n ddiamser
cans mae croes ein hoes yn her
a gweinidog yn hyder.

Y Parchedig Goronwy Evans

O hyd cawn ymhyfrydu – yn y fflam
   cans mae'r fflam yn ffynnu
a thiriogaeth y traethu
eto'n dal yn Smotyn Du.

Baled Aberaeron

Mynd ati o ddifri a wnaeth Alban Gwynne
i ailgodi Llundain o'r newydd fan hyn,
ond er llogi pensaer i roi stamp ar y lle
yr hen gymeriade bob tro sy'n gwneud tre,
 fel Dai Llety Siôn, mor ysgafn ei droed,
 fel Nobby a'r Hubbards a chobs Ifor Lloyd.

Y nod oedd creu trefen, a dyna paham
fod sawl llinell union o amgylch Pwll Cam,
ond pwy all eu cerdded 'rôl caniad y gloch
pan fo'r lleuad yn feddw a'r cwrw yn goch
 fel Dai Llety Siôn, mor ysgafn ei droed,
 fel Nobby a'r Hubbards a chobs Ifor Lloyd?

Fe hudwyd rhai disglair i wella eu byd
i froydd pellennig yn raddau i gyd,
enillwyd gan eraill amgenach digrî
yng Ngholeg Marina, Twm Chem a J. T.
 fel Dai Llety Siôn, mor ysgafn ei droed,
 fel Nobby a'r Hubbards a chobs Ifor Lloyd.

Rhoes Dafydd ac eraill y dref ar y map
wrth drafod sha Strade ryw bêl mas o siap
ond llanciau nawn Sadwrn oedd dipyn mwy gwâr
pan oedd peli yn grynion a chaeau yn Sgwâr,
 fel Dai Llety Siôn, mor ysgafn ei droed,
 fel Nobby a'r Hubbards a chobs Ifor Lloyd.

Daeth ambell i gapten mor enwog â'i long
a llawer un arall am hwylio'r ffordd rong,
ond eto o'r criwie a fu dros y byd
y morwyr tir sych bia'r harbwr o hyd,
 fel Dai Llety Siôn, mor ysgafn ei droed,
 fel Nobby a'r Hubbards a chobs Ifor Lloyd.

Fe enwir ffefrynnau gan draethell a thon
fel Hywel a Vincent, Rhiannon a Ron,
ond eto 'mhlith mawrion mae eraill sy'n fwy
a'r Aeron yn unig all ddweud pwy yw pwy,
    fel Dai Llety Siôn, mor ysgafn ei droed,
    fel Nobby a'r Hubbards a chobs Ifor Lloyd.

Dafydd Jones, Llyfrgellydd Tŷ'r Arglwyddi

Unaist â llinell union – hen lysoedd
    a phalasau'r Goron
    â'r gaer yn Aberaeron
    ger brig dysgedig y don.

Dan y Wenallt

Daeth cymuned o ddwedyd – yn enau
    i'r doethineb ynfyd,
    yn hafan lleisiau deufyd
    ar lan y môr creulon, mud.

Bryn y Briallu

Mae yna fynd yn Llunden
nad yw byth yn dod i ben,
dinas ras y bore yw,
dinas hud y nos ydyw,
syrcas o ddinas a ddaeth
yn ddelwedd o ddeuoliaeth.
Ein denu wna'i dau wyneb
a thyrru wnawn i'w thir neb,
i'w ffair lle mae'r hirben-ffôl
yn ifanc o hynafol,
yn feddw ar gelfyddyd
a'r hyrdi-gyrdi i gyd.
A thros y ffin down ninnau
yn wirion-gall i'r hen gae
i droi allan yn drilliw
o lwyni'r haf lan y rhiw;
awn i barth y man lle bu
yr allor o friallu.
Rhwng Gerddi Kew a Jewin,
'nôl o Grays i Bethnal Green,
o Willesden, Camden a'r Quays
hyd gorstir Hackney'r Cockneys,
ger Regent's Park cynta'r co'
mae gwâl dychymyg Iolo.
Ac i lain y goleuni,
i Lunden ei hawen hi,
yn ôl y down fesul dau
i rodio'r dechreuadau.
O'r Hampstead Heath lledrithiol
i'n hen Ŵyl daeth Iolo 'nôl.

Dan y Landsker

(papur bro de Penfro)

Lle bu Gerallt Gymro unwaith
yn cenhadu ar ei daith
troedio wna'i ddilynwyr heddiw
yr un llwybrau – dros yr iaith.
Wrth i'r ymgyrch atgyfnerthu,
wrth i'r gweithwyr ennill tir,
cofiwn am y fyddin honno
laniodd gynt ym Maenorbŷr.

Lle bu Normyn balch y cestyll
yn teyrnasu yn eu tro
fe ddaw Waldo 'nôl i Hwlffordd
i gysodi'r papur bro.
Lle bu niwloedd yn lledrithio
chwedlau hen y broydd hyn
llifo eto wna'r ddwy Gleddau
yn Gymraeg, mewn du a gwyn.

Gwelwn fod treftadaeth Dewi
yn ymestyn hwnt i'r Foel
a bod trwch o gennin Pedr
ym mro'r priddyn coch a'r oel.
Boed i'r fenter newydd uno
y ddwy ochor, blwy wrth blwy,
fel na bo'n y Benfro gyfoes
'Down Below' na Landsker mwy.

Er cof am Barc Ninian

O'i guddfan ar lan Elái – aderyn
i'w diroedd a'n denai
i Barc Ninian lle canai
uwch y môr o glychau Mai.

Er cof am gae'r Vetch

Rhy hen i 'fory, rhy brin o fariau,
rhy gap a mwffler yr hen amserau,
rhy wyn a du, rhy hawdd i'w droi'n deiau,
ac wrth i'r ddinas racso'r terasau
fe wn na welaf innau – fyth rhagor
yno'r un Ivor, na'r hen acafau.

Mabinogi Joe Allen

Hwn a ddaeth drwy'r niwloedd hud
yn ôl i'r brwydrau celyd,
'nôl i Ddyfed y chwedel
i wneud marc ar barc y bêl,
i agor mabinogi
yn ein huwch-gynghreiriau ni.

Yn y gêm Pendefig yw,
un o waed ein Pwyll ydyw
yn cynnal cof canol cae
ein harwyr ym mhob chwarae
a deil Arberth i'w nerthu,
faes wrth faes, o'r hyn a fu.

Orig Williams

Mae Orig wedi marw
a'i ddoniau oll, medden nhw,
a ninnau heb un a oedd
yn rhodio mewn gweithredoedd;
lle bu'r alwad glywadwy
di-Hedydd yw'r mynydd mwy.

Yn hyd a lled pob chwedel
ef ei hun oedd Nantlle Vale,
wel, ef a Tharw Nefyn;
ddoeau'n ôl âi'r ddau yn un
ar y cyd nes clirio'r cae
yn eitha'u Hyddgen hwythau.

Onid oedd ysbryd Glyndŵr
yn eiddo'r hen ymladdwr
a chân llwyfan mor llafar
yn ei farw garw, gwâr?
Ym mhob tre a godre gwig
y mae hiraeth am Orig.

Ray Gravell

Bydd un fu'n fwy na'i hunan – yn eisiau
o'r maes o hyn allan,
un ar goll o ferw'r gân,
un yn llai gan Gwenllïan.

Achos

(Geraint Jones v Radio Cymru, Mai 2010)

Pan fydd calonnau oer yn troi i eiriogi
i gadw lleiafrifoedd yn eu lle,
bydd byddin gudd, a'r cyllyll wedi'u hogi,
am ddangos i ni'r Cymry be 'di be.
Ar lawr y llys yr euog yw'r erlynydd
sy'n anwybyddu ei siarter ef ei hun
ac yn y doc gosodir y diffynnydd
i sefyll yn y bwlch dros hawliau dyn,
i ddweud ar goedd yn wyneb materoldeb
y grymoedd sydd yn llunio'r rhaglen waith
fod gan y sianel hithau gyfrifoldeb
i fod yn rhan o'r frwydr dros yr iaith,
gan ddangos eto fod 'na rai gwrandawyr
na fyn i'r siwtiau llwyd ddifwyno'r awyr.

Radio Ceredigion (wedi ei Seisnigeiddio)

Lle gynt bu gwres hanesion – ein llinach
    yn llanw'r entrychion,
  hen radio oer ydyw hon,
    radio wag Ceredigion.

Radio Carmarthenshire

Mae arlliw Seisnig ddigon – i'r awyr
    ym mro'r Mabinogion,
  dileu iaith wna chwedlau hon
    a'n gadael heb un Gwydion.

Llais
(y talwrn cyntaf yn Nhan-y-groes ar ôl colli Dic)

Heno mae llais yn eisie,
y llais a fu'n swyno'r lle,
llais fu'n gyngerdd o gerddi
yn nosweithie'n hendre ni,
y llais mwyn uwch lleisiau mân
a hwnnw'n gôr ei hunan.
Mae'r cyfan mor wahanol
i'r un llwyfan aria'n ôl,
mor egwan yw cân ein côr
a thiwn yn brin o'i thenor,
ac anodd fydd in ganu
heb nodyn y deryn du.

Rhys Jones
(i Caryl Parry Jones)

Os mudan ydyw'r Glannau, – yn oesol
    bydd cysur i chwithau
  yn yr hwyl sydd yn parhau
  i oedi rhwng y nodau.

June Lloyd Jones
(athrawes gerdd a chyfnither)

Ar lan môr o gerddoriaeth – una'r gwynt
    a'r gân yn eu hiraeth
  ac yn nodau'r ganiadaeth,
  anwylach, tristach yw'r traeth.

44

Castell Brychan

(pencadlys y Cyngor Llyfrau)

Harlech â tho o lechi
yw'r fan hyn, ein C'narfon ni,
Cydweli o storïwyr
yno mwy sy'n cadw'r mur,
Rhuddlan o ganolfan yw,
i awdur Conwy ydyw.

Ar Ben-glais mae llais ein llên
yn hawlio y dudalen
cans arfog yw swyddogion
hen griw'r we ar y gaer hon.
Yno, o raid, yn un rhes,
gwyliant dros diroedd Gwales.

Yno'n ffuglen yr ennyd
saethau yw'r geiriau i gyd,
ISBNs yw bwâu
hen filwyr y nofelau
sy'n dal i fod ar alwad
o glawr i glawr dros ein gwlad.

Canolfan Iaith, Aberystwyth

Ger dyfroedd y moroedd maith – eleni
      ar y lan anghyfiaith
      ceir eto borth o obaith
      yn fan hyn, hafan i'n hiaith.

Tecst

Ar ennyd gystrawennol – o agor
   y neges ddigidol
  sylwais i mai ffansi ffôl
  yw gramadeg i'r mudol.

Deall
('Poetry is at its best when partly,
not wholly, understood')

Yn eu hawydd anneall – i'n herio
   gŵyr y geiriau cibddall
  y daw awen, o'i deall,
  o gerdd i gerdd yn rhy gall.

Gair

Roedd myfyrdod tafod dyn – yn fudan
   am fod pob manylyn
  hwnt i glyw, nes rhoes rhywun
  eirfa'r llais ar furiau'r llun.

Te angladd

Tebot parod a blodau, – lliain gwyn,
   llain o gacs llawn dagrau
  a'r wawr o ddu yn rhyddhau
  adenydd dros frechdanau.

Y Scarlets

O lein i lein mae'r holl wlad
yn un gorlan ysgarlad,
un dalaith o obeithion
o Felin-foel lan i Fôn,
bro Gorllewin y llinach,
bro Delme a Benny bach.
O brawf i brawf bu erioed
yn y Gwendraeth ysgawndroed.
Ynom oll mae tîm a aeth
yn Garwyn o ragoriaeth
a melinau'r oriau hur
yn gyhyrog o arwyr.
Ym mhen y gwaith mae hen gân
y Strade'n gorws trydan,
hen straeon i'n hudo'n ôl
hyd y lonydd chwedlonol
i'r man lle daw grym hanes
â lein wen galonnau'n nes.
Hogiau iau sy'n mynd i'r gad
â haearn yn eu gwead
ganwaith i roi o'u heithaf.
Mae gwisgo crys, hen grys Grav,
yn troi'r rhai dewr yn gewri,
yn Guinnells i'n hannog ni.
Hwy yw tîm y ddegawd hon,
hwy heddiw etifeddion
y ddawn ddrud o dynnu dyn,
rhedeg a sgorio wedyn,
dawn ysgarlad y tadau,
dawn y cof i danio cae.

Capel Brynmoriah

Mae'r capel mewn cornel cae
yn solet fel hen Suliau,
yn oedi'n gysegredig
yn fy mod dan gysgod gwig.
O raid, fy seintwar ydyw,
yn fan hyn mae tŷ fy Nuw.

Ond diog ac euog wyf,
erioed pechadur ydwyf,
un nad yw, fel gŵyr ei Dad,
yn deilwng o'r adeilad
ac aeth y cwrdd, cwrdd y co',
yn fan lle nad wyf yno.

Rosina Evans
(gwraig Tŷ Capel Brynmoriah)

Rhoi'n ddibrin wnaeth Rosina – am mai hi
    oedd ein Mair a'n Martha,
  ar hyd y daith rhoi o'i da
  a'i roi i Frynmoriah.

Lewis Davies, Cefen-bach
(un o'r ffyddloniaid tan iddo orfod treulio ei
flynyddoedd olaf mewn cartref)

O'i dŷ rhent tu draw i'r rhos, – o hafan
    ei ystafell ddiddos,
  deil Cefen-bach a'r achos
  i'w ddenu'n ôl, ddydd a nos.

Gefeillio

Ewch allan ar Fimosa'r
delfrydau gorau gaed,
mae'r cof yn dal i arddel
y Gaiman sy'n y gwaed.
Bwytewch y llo pasgedig
dan leuad drom y paith
a chewch fod afon Camwy
yn medru yr hen iaith.

Mwynhewch y cacs a'r croeso
yng nghwmni'r pennau gwyn,
y gwragedd wrth y byrddau
a'r dynion wrth eu ffyn.
Dewch 'nôl i'r Wladfa arall
o ochor draw y byd
a chewch fod Aberteifi
yn Batagonia i gyd.

Shirley ac Evelyn

(Dwy ferch ifanc o Batagonia. Fe'u hanfonwyd yn
ôl i'r Ariannin gan yr awdurdodau yn Llundain cyn
iddynt gyrraedd Cymru.)

O chwith fe welwch chwithe – mor anodd,
    mor unig yw'r siwrne;
  ar y daith o wladfa'r De
  y mae'r paith ym mro'r Pethe.

Ffotograff

Edrychais mewn i'r golau
yn filain o ddi-wên
a daliwyd wep yr eiliad
o'm corun lawr i'm gên.

A barnodd gŵr y tollau
trwy nodio mai yr un
own i ar ben naw mlynedd
â'r wyneb yn y llun.

Senedd

Bu gwleidyddion yn ymgyrchu
i droi y rhith yn ffaith
gan ennill dadl eiriol
ym mhleidlais naw deg saith,
a chodwyd Senedd yng Nghaerdydd
i ni gael esgus bod yn rhydd.

A Chymru sy'n ddiolchgar
wrth dderbyn 'rhyn a gaed,
fe'i cafwyd gyda bendith
heb golli dafn o waed.
Nid oes er hyn, fel gŵyr y don,
un naw un chwech ym muriau hon.

Islwyn Walters, bardd a saer maen, yn 80 oed

Yr un y graen ag erioed – ac yr un
    yw'r grefft ers ieuengoed,
a phob traw ddaw yn ddioed
o weithdy gŵr wyth deg oed.

Y Parchedig Dafydd Marks, Coleg Dewi Sant

Cofier y dyn ei hunan – yn gadarn
    ddysgedig ei anian,
cofier y Cristion cyfan,
cofier ei goler a'i gân.

Eirwyn Williams
(bardd a chynghorydd sir)

Wrth y glwyd yr iaith a glyw, – hyd y ffald
    Hen Dŷ Fferm sy'n hyglyw,
yn y fro ein Gwynfor yw,
ac o raid Shirgar ydyw.

Ann Rhys
(a adawodd nawdd yn ei hewyllys
i gyhoeddi'r gyfrol *I Gofio'r Gaeafau*)

Dilynodd draw yr awen – a heddiw
    mae'r gwaddol ar gefnen;
o'i hôl fel blodau Olwen,
mae heulwen oes, mae lôn wen.

Y Preselau

Os oes lliwiau sy'n groesawgar
o Gas-mael i Bentregalar,
nid yw'r glas sydd yn y garreg
mor siaradus yn y Saesneg.

Pan fo'r paent yn llawn atgofion,
pan fo'r tirwedd yn y galon,
rhwng y gwyrdd, y glas a'r sgarlad
fe fydd lliw nas gwêl y llygad.

Gall niferoedd liwio'r Frenni
a gwylltineb yr hen gerni
ond ychydig bia'r doniau
i roi'r mynydd mewn wynebau.

Y mae mwy i Foel Cwm Cerwyn
na golygfa bert ar dirlun;
nid oes ystyr i'r cromlechi
heb eu gweld drwy'r 'môr goleuni'.

'A place in the country'

My Poppit is so pretty – and a world
    away from the city,
  a haven by the Tivy,
  Eng-er-land by sand and sea.

Dylan Iorwerth – Coron 2000

Ein tywys at y tywod – a wnaethost,
   hyd draethell y trallod,
   y môr beiddgar yn barod
   a sŵn y don nesa'n dod.

Dylan Iorwerth – Y Fedal Ryddiaith 2005

Drwy'r smwclaw daeth alawon
New Orleans i'r Brifwyl hon;
ym min hwyr daeth rythmau'n ôl
yn go' afrad, yn gyfrol,
un a droes gystrawen, dro,
yn bennod ar biano.

Geiriau, o'u chwarae'n gywrain,
sy'n Fississippi o sain;
o sgwennu'r nodau duon,
o hoffi iaith sacsoffôn,
try octef yn ddweud hefyd
a'r brawddegau'n gordiau i gyd.

Mewn bar mor llafar yw'n llên
a Dil ar bob tudalen
a'r Eisteddfod o nodau
yn galw'n ôl galon iau.
O Fynwy lan i'r Faenol,
mae hi'n Ŵyl, daeth Satchmo 'nôl.

Deuoliaeth Tudur Dylan

Mor gynnil ydyw Gwili
ac Ogwen dy awen di,
llifant drwy dir rhamantus
hen ddoeau llon beirdd y llys,
o Dre-gib lan i Dre-garth,
o Nebo i'r Deheubarth.

Yn nhir y cof unir cân
y Drovers a Rhostryfan,
Bancffosfelen a'r Fenai,
Hendy-gwyn a Llandygái,
ti yw'r bardd a gân tra bydd
'na Faenol a Llanfynydd.

Peniel a'r Felinheli,
Aber-erch a Llan-y-bri,
Bangor Uchaf a Dafen,
Heol Awst a Sili-wen.
Rhyw un gerdd yw'r rhain i gyd,
Teifi a Seiont hefyd.

Idole, Baladeulyn,
y Garth a Phentre-tŷ-gwyn,
hen gaerau'r North a Sgwâr Nott,
enwau sy'n rhan ohonot.
Yno maent, a phob un man
yn dy hawlio di, Dylan.

Pedwar mynydd

Cododd pryder mewn arwerthiant
fod yr Wyddfa'n mynd o'n meddiant
a thrwy'r wlad agorwyd cronfa
fel bod modd i'w chadw yma.

Mae 'na rai sydd yn perchnogi
ein mynyddoedd a'u hailenwi,
a pha ddeddf roes hawl i fandals
droi Yr Eifl yn The Rivals.

Fe fu Pen y Fan a'r Bannau
o'm tu cefn ers cenedlaethau
ond mae'r tir fu'n meithrin cewri
wedi mynd rhy hawdd i'w groesi.

Er dychwelyd yn fy hiraeth
eto i chwilio'r hen gymdogaeth,
ni ddaw Cymro drwy y meinwynt,
ni ddaw'r ebol 'nôl i Epynt.

Llosgfynydd

Mae 'na bryder amserol – yn llechu
    yn y llwch cynoesol,
  a hen wae aeonau 'nôl
    yn ei fwg anorchfygol.

Troi tudalen

(wrth droi tudalennau *Yr Un Hwyl a'r Un Wylo*)

Fesul dalen dadlennwyd
y filltir sgwâr, lachar, lwyd,
lle ceir Arberth a chwerthin,
ydlan gras a deilen grin,
yr oglau mwg a'r glaw mân,
y tir trist a'r tro trwstan.
Un yw'r gilwen a'r galar,
cynghanedd y bedd a'r bar,
y dod, a'r myned wedyn,
coedwigaeth deuoliaeth dyn
yn iro'n brint, a'r hen bren
yn deilio fesul dalen.

Elin Jones AC

Mewn byd gwallgo fe'th brofir – yn y Bae
    ymhell, bell o'th frodir;
    na ildia ddim o'r doldir
    a fesul ffald, dal dy dir.

Fferm organig

Techneg sy'n gemeg i gyd – all roi lliw
    ar y llain ddioglyd,
    ond er hyn aeddfeda'r ŷd
    o ddoeau'r ddaear ddiwyd.

Abraham

(er cof am frawd Mam a fu farw yn 1999)

Mi wn fod Abraham ynof,
hen gwmnïwr cwrw'r cof
a fyn ddod i'm diod i
yn gerdd sy'n dal i gorddi,
a'r galar rhwng bar a bedd
yn llawn o firi llynedd.
Ni weithiais gân amdano
i'w rhoi ar brint papur bro,
a chwaith mi a wn na chadd
englyn ar ddydd ei angladd
ond mae dalen i'w llenwi'n
dannod fy mudandod i.

Coeden deulu

Ar y gangen mae'r genyn – yn deilio
      yn waedoliaeth gyndyn;
   drwy'r allt daw'r derw a'r ynn
   yn goed, cyn gwywo wedyn.

Hefin a Megan

(tafarn Glan yr Afon, Talgarreg)

Fan hyn, ger yr afon wâr – o ddewis
      deil y ddau gyfeillgar
   i iro sgwrs milltir sgwâr
   â hen ddiod y ddaear.

Cywydd y cof

Droeon af yn nyfnder nos,
hi'n hwyr, a'r dasg yn aros,
o raid yn ôl i droedio
hen drawiadau caeau'r co'
fel Wordsworth tsiep ar bep-pils
i ddarganfod daffodils.
Yn wag o weledigaeth
rwyf innau i'r geiriau'n gaeth,
y geiriau set sydd eto
yn mynnu cyplu'n y co',
geiriau rhwydd, Fiagra'r hen,
a'r 'c' o flaen yr acen.
Capan, cusan, carots, cell,
cinio, cwstard, cŷn, castell.
Chwiliaf bob 'c' sy'n clecian
drwy'r oesau a'u gwau yn gân.
Chwilio'r rhain yw chwilio'r 'O',
y geiriau sydd yn sgorio.
O feic i feic rhai fel fi
a ddeil heb sylweddoli
nad yw'r byd i gyd yn gaeth
i hen eiriau fel 'hiraeth';
i mi mae'r co'n farddonol
ac i rai werth bygar ôl.
Ni ddaw offrwm mor ddiffrwyth
â marc llawn, 'mond 'iawn' ac 'wyth'.
Ond mae hen gof ynof i,
rhyw sŵn henwr sy'n honni
taw'r ddoe pell sy'n cymell cân –
on'd cof oedd Cwm Alltcafan?

Mr Mann, Prif Weithredwr Parc Menter Aber-porth

Yn ŵr o fri i'r fro hon,
i erwau'r oriau hirion
lle bu'r fedel a'i helynt
hwyr o ha' yn gweira gynt,
daeth dyn hirben â'i weniaith
i agor gât, i greu gwaith.

Na hidiwch fod unedau
bob un stryd i gyd ar gau.
Y gwir yw nad drwg o raid
yw Antur heb denantiaid
cans 'long-term', medd Mr Mann,
yw ei helfawr ganolfan.

O weld mantolen 'leni
yn ei choch, na fernwch hi.
Mr Mann a'i Amcan Un
a wada'r ddyled wedyn
nes y daw hi yn ffwl stop
ar arian coffrau Ewrop.

Drôn

Deryn yr uchelderau – a weithiodd
ei nyth ger ein glannau,
deryn hyll, hen guryll gwae,
sy'n hongian dros waun angau.

Pontydd

Mae pont dros afon Teifi
na fynnaf fyth mo'i chroesi
a dyna pam fy mod o hyd,
er crwydro'r byd, yn Gardi.

Daw Sais ar draffordd Llunden
i Gymru dros Bont Hafren,
ond ni all gyrraedd pen y daith
heb groesi iaith yr agen.

Mae ambell Sais synhwyrgall
yn croesi'r bont, a'n hangall
bobol ni'n un haid o'r bron
yn croesi hon ffordd arall.

Nid oes ar derfyn bywyd
ond cychwr i'n cymeryd,
nid oes un bont yn croesi'r lli
rhag ofn i ni ddychwelyd.

Ambell Gymro estron

Mae'r cartre sy'n fy ngwead – yn dannod
'rhen donnau dideimlad;
ym mhen y lôn mae 'na wlad
a môr o gamgymeriad.

Y Dwys a'r Digri

(cyfrol y cyn-werthwr olew, Dai Rees Davies)

Inni bawb o dipyn bach
ein holew sy'n ddoniolach
ac, o'i gael, mae inni i gyd
rywfodd o ddifri hefyd,
cans cofier, stwff pwerus
ydyw'r hyn geir gan Dai Rees.

Ac yna mae o'i gynnwys
mewn cywydd yn danwydd dwys;
suo-gân dy Esso gynt
wrth y pwmp sy'n werth pumpunt
a mwy – cans mae'r grym o hyd
yn hymian; mae'n ein symud.

Ar lôn wen dy awen di
a luniwyd gan alwyni,
awen mynd fel Roial Mêl,
awen wych octen uchel,
awen y rhuo ieuanc,
'sdim harm cael teigar mewn tanc.

Cyfieithu / Translating

'Lan' yw 'up', 'cup' yw 'cwpan', – 'wood' yw 'coed'
    a 'kiss' ydyw 'cusan',
    'on your own' yw 'ar wahân'
    a 'gull' i'r Sais yw 'gwylan'.

Talar

(cartref Ifor Owen Evans)

Fesul darn collir Sarne,
a lleihau o hyd wna'r lle
â'r hen dyddynnod o raid
yn rynnau i estroniaid;
heb ei phâr, heb ei harad,
o glos i glos collir gwlad.

Ni ddaw'r un bardd i arddu
y foel â'i fawl fel a fu;
daeth ardal i ben talar,
a'n bro heb ei herwau âr
a neb ond yr wylan wen
yn cofio codi cefen.

Drwy'r plwy ni welir mwyach,
ar gaeau fyrdd, Ffyrgi fach
yn torri cwys, yn troi cae
awenydd yn wanwynau.
Heddiw llwm yw tirwedd llên
y fro heb Ifor Owen.

Pennill telyn

Holais lawer llyfrgellydd,
athro coleg a darlithydd,
ond doedd neb ond Ifor Owen
wyddai beth oedd 'codi cefen'.

Ystlumod

Eglwysi'r gwagle oesol – yw eu hawnt
    a'r tenantiaid gwibiol
  fyn hedfan i oedfa'n ôl
  ar eu radar ysbrydol.

Cragen

Os pell yw cyffro'r foryd – ar y silff
    mewn rhyw seld ddifywyd
  y mae aber fy mebyd
  a'r hen fôr ynof o hyd.

Angladd deuluol

Awn yn deulu'n ein dua' – at yr arch
    cyn troi o Facpela
  y clymau brau a barha
  tua'r nos – a'r tro nesa'.

Nadolig

Os mai ffuglen yw'r bennod, – os amheus
    y mul a'r camelod,
  ym Meibil isymwybod
  mae'r Un Bach a Mair yn bod.

Amddiffyniad milwr

O'r uchelgaer lle mae'r llys
yn eistedd, be ŵyr ustus
am wydrau bach yn fflachio
drwy y Queen's o frwydrau'r co',
am fariau tre'r hunlle hon
a lanwyd gan elynion?
Yn unig, heb gwmni gwn,
meddwi ar fomiau oeddwn
a ffrwydriad o sgrechiadau
oer y cyrch droes amser cau'n
nos o waed, a thybiais i,
ar hyn, mai'n Helmand rown-i.

Adnodau rhyfelwyr

Lles gwlad a dreiddia drwyddynt – ac idiom
   maes y gad sydd iddynt.
   Nid Gair Duw o gariad ŷnt,
   adnodau dynion ydynt.

Hedd Wyn

Ein rhan ni o'r bryniau hyn – ydyw byw
   a bod uwch y dibyn;
   tra bo rhyfel a gelyn
   heddiw a ddoe yw Hedd Wyn.

Cyrraedd

Mae 'na daith i Katmandu,
i Lille a Honolulu
ar gael i'r llwfr ei galon
at dir y dewr hwnt i'r don,
y mannau y bûm yno
o Gdansk i Idaho.

O ddilyn y meddalwedd
af drwy'r byd heb symud sedd
gan fod seibyr i'm gyrru
hyd Daiwan heb fynd o'r tŷ;
o'r dre hon mewn fawr o dro
rwy'n cyrraedd bryniau Cairo.

Ar ddelwedd yr allweddell
nid y gwir yw'r peithdir pell;
fe barhaf i rithio bro
a dinas nad yw yno.
Ar y we mae llwybyr it
fyned i'r fan a fynnit.

Sipsi

Er bwrw'i hud ar y Bryn – a rhoi lliw
i dir llwyd y plentyn
ni ddaeth 'nôl at oedolyn
â'i 'Hei-di-ho' wedi hyn.

Ysgol Gymraeg Bro Sannan

Er in rywfodd ddiffoddi – hen danau
    diwydiannol Rhymni,
    mae'n ein broydd newydd ni
    i'r Wenhwyseg ffwrneisi.

Ysgol T. Llew Jones

Weithiau fe fydd lleisiau'r lli – a'r ogof
    o gragen yn codi
    a'r môr yn adrodd stori
    y mannau hallt o'i mewn hi.

Ysgol Llanllwchaiarn

Yma mae'n doe mewn un darn – yn aros
    fel y muriau cadarn
    inni fyth tan ddydd y Farn.
    Ni chaeir Llanllwchaiarn.

Ysgol Pant Glas, Aber-fan

Nid llafar yw'r galaru – yn y cwm
    a'r cof yn ailgladdu;
    pan dry angau'n dipiau du
    y mae iaith weithiau'n methu.

Dafydd Jones
(Llanarth, Llanelli a Chymru)

Her sgrym a fu'n ei gymell – ac i'r ryc
   âi'n grwt o flacnasgell,
  yn ei faes ni fu ei well,
  un cystal â Glyn Castell.

Ymhell o dre Llanelli, – yn Llanarth
   roedd llinell i'w chroesi,
  a Chuinnell ein bro fach ni
  yw wythwr glannau Llethi.

Bu ar gaeau dechrau'r daith – yn arwr
   Aberaeron ganwaith;
  ni fu sôn am un rhif saith
  mor heini ym mro'r heniaith.

Ni cheir un ddawn ddisgleiriach, – ni chewch-chi
   un rhif chwech rhagorach,
  na dwrn sydd yn gadarnach,
  o New Inn hyd Felin-fach.

O Glasgow hyd Samoa, – Biarritz,
   bro'r Wasps ac Awstralia,
  dal yn un â'i ardal wna
  yn un o fois Llanina.

Dŵr

A'r ymbil am gynilo – yn gafael,
   a gofi di, Gymro,
  o dap i dap ei fod o
  yn dal i fynd drwy'n dwylo?

Egin

Wedi'r llwydrew daw'r lledrith – i agor
   bedd gwag a daw Groglith
  awel a glaw, haul a gwlith
  i egino'r cae gwenith.

Mawn Iwerddon

Mae'r hen fawn, mae'r hyn a fu, – eleni
   ger y lôn yn pydru
  mewn gwlad a fynnodd wadu
  rhychiau dwfn y tyweirch du.

Deuoliaeth

Yn nhlodi'r cyfoeth moethus – a harddwch
   y gerddi twyllodrus
  y mae ym mherllannau'r llys
  afalau chwerwfelys.

Lansio *Awen Aeron*
(cyfrol o gerddi Aeron Davies)

Yn ei gân, mewn pryd a gwedd,
Aeron sy'n rhan o'r tirwedd.
Ef yw'r fro o fore'i oes,
ef yw'r cofio a'r cyfoes,
ef yw'r plwy inni mwyach,
ef ei hun yw Felin-fach.

Ac ef yw'r afon hefyd,
ein hafon Aeron o hyd,
afon o barch, afon bur,
yr afon o bentrefwyr,
yr afon sy'n barddoni
yn 'run iaith â'n Aeron ni.

Brondeifi

Mae enwau ar y meini – i'n herio
a deil tŵr Brondeifi
fel y Groes i gyfoesi
a thynhau'n Hundodiaeth ni.

Raymond Osborne Jones, Ffair-rhos

Carai'n llên, carai'n llynnoedd, – carai'i feirch,
carai feirdd y llysoedd,
yn y gwaed pendefig oedd,
ond erioed gwladwr ydoedd.

'I'm from these parts'

(o gofio am gân Iwan Llwyd ac am
ei gysylltiadau â godre Ceredigion)

Odw, dafarnwr, rwy'n dod o'r dalaith,
bro hud a lledrith a fu'n Ddyfed unwaith,
ac fel y llanw dychwelaf eilwaith
heibio Pen Cribach yn fôr o dafodiaith,
yn Ddafydd ap Gwilym, yn Bwyll neu Bryderi,
a'r gân amdanaf yn Lan Medeni,
i ddilyn y llwybrau difyrraf, anunion
a ganwyd i fod ar gitarau'r galon
pan oedd geiriau'n llifo a lleuadau'n llawnion,
pan oedd ddoe a heddiw yn un â'i gilydd,
eleni'n llynedd ac yfory'n drennydd.
Ac yn y distawrwydd dieiriau, llafar
rhwng dau wrth y bar llefarai'r ddaear
am gampau cŵn, am wanwynau cynnar,
am hen, hen dylwyth, am ben y dalar.
Rwy'n dod o'r dalaith ac rwy'n medru clywed
clec y gynghanedd wrth iddi gerdded
o dalwrn i dalwrn, o ddosbarth nos i eisteddfod,
a deugae cymdogaeth yn gerdd ar y tafod,
yn Fiwla, yn faled, yn ynys bellennig,
yn hengerdd Tjuringa, yn deithiau'r dychymyg,
yn Gatraeth yr Hen Ogledd, yn Dde'r Amerig,
a minnau yn glerwr a chanwr, cywyddwr a chwardd,
ar y cei ym mhob harbwr, yn forwr o fardd,
a phan ddaw hi'n adeg i finnau fynd
fe ddwed henwr o'r gornel, 'Ffarwél i ti, ffrind'.

Llwybr barddoniaeth Dic

Awn o wib ein priffyrdd ni
am ennyd i Gwmhowni,
bydd gallt o gerdd i'w cherdded
o ddarn i ddarn – rhai a ddwed
am ôl dyn, am leuad wen,
am fwlch ac am fwyalchen
a ganai yn y gwanwyn
a'i llais clir yn llonni'r llwyn.
Bydd daear fyw'n byw a bod
yn dyfiant o gerdd dafod
a'r llwybrau a geiriau'r gân
yn y cof yn gylch cyfan.

Teulu Caffi'r Emlyn, Tan-y-groes

Er mor gyfoes yw'r croeso – a weinir,
    llawenhawn fod eto
    wrth fyrddau cywyddau'r co'
    hen wehelyth yn hulio.

Cymdeithas Ceredigion

Mae 'na feidir o firi – yn arwain
    at Laneirw'r cerddi;
    yn oes y drain a'r drysi
    sicrhawn nas caeir hi.

Pen-blwydd Dewi Pws yn 60

Amlhau mae pennau Pws,
a hynny'n fwy na Ianws,
un o griw'r Winter Fuel
yn y bar lle bownsia'r bêl,
moelyn y cwmni melys
yn ôl Ralph a Hywel Rees.

Mae'n Dynevor, mae'n gyrri,
mae'n gwrso taer, mae'n grys-T,
mae'n wyrdd ei fyd, mae'n Ardd Fôn
oleuwyd gan alawon,
mae'n hiwmor ffres, mae'n sesiwn,
mae'n Gardi, Sioni a Shwn,
Lyn Eb a thwymo'r tebot,
hanes plant bach annwyl Splott,
Torri Gwynt, gitâr, I'r Gad
a Morris o gymeriad,
y cyflymaf ei dafod,
a 'naughty boy' – weti bod,
mae'n llwyfan, mae'n ffrind annwyl
a'r Felinheli'n ei hwyl,
y mae'n eiriau gwefrau'r gìg
a rhedwr Huw Ceredig,
gŵr digri Belfry Trebo'th,
deryn o Fallethderoth,
Edward H. yn codi'r to,
helyntion Phil a Ianto,
cynganeddion y Lôn Las,
hafau ddoe'n y brifddinas,
gwynt y môr, cais a sgoriwyd,
Penllwyn Du a Lleucu Llwyd.
Yn y diwn mae'n lleuad wen
un eiliad, yna'n Heulwen,

ond wedyn, Dewi ydyw
ac Earl Grey y lagyr yw,
yn odlau, yn gôl adlam,
un heb ei fath, mab ei fam.

Ei ardal yw'n hardal ni,
Fron Dirion a Chwmderi
a'r lluest sy'n ymestyn
Rownd a Rownd i Emyr Wyn,
a'r hen Ships sy 'ngodre'n shir,
hen firdai yr arfordir.

Ond mae'r un, yr un ar ôl,
yn eneth go wahanol,
ei hanes yw'r santes hon,
a'r enw yw Rhiannon,
ac ef mwy, tra Nwy'n y Nen,
a weindia glociau'r flonden.

Arfordir

Ar goedlan laeth y traethau – ni welais
    wrth ddilyn y llwybrau
  ond gŵr a'i beint ger y bae
  a'r môr yn storm o eiriau.

Prifysgol

Nid trwy ryw ddictad gwladol, – nid â gwn,
   nid â gwaed y bobol,
   yn neis-neis enillant 'nôl
   ein hesgus o Brifysgol.

Yn gywrain mewn pwyllgoriaith, – yn ddethol
   o ddoeth trwy'r papurwaith,
   yn gynnil gyda gweniaith
   o radd i radd lleddir iaith.

Ateb i gwestiwn

Ar y mat cefais ateb
mewn amlen wen o dir neb
biwrocratiaeth, rhyw draethawd
tila iawn ar gownt y wlad,
cans ateb heb ateb oedd
y dywedyd nad ydoedd.
Ataf i codwyd dau fys
yn neis, ac yn faleisus.

Mor foesgar o ddidaro
yw'r gair slic, a'r tric bob tro
i lenor wrth guddio'r gau
yw cymylu'r cymalau
yn hirwyntog swyddogol
ac i roi in bygar ôl.
O'r dechreuad cau'r adwy
wna 'Dear Sir' eu drws hwy.

Castell Aberteifi

Ewch i'r neuadd a gladdwyd
dan dirwedd sawl llynedd llwyd,
heibio'r heip, heibio o raid
i oes hirsyth y Siorsiaid,
heibio'r styllen fu'n nenfwd,
heibio i rants Barbara Wood,
yn ôl i ganol y gân
a'r dygwyl yng Nghaerdwgan.

Wrth i'r cof fynnu gofyn
yn lle'r oedd y lloriau hyn,
ewch yn ôl a dygwch ni,
faen wrth faen, i'r sylfeini.

Radio Beca

Y radio o weithredoedd – a gyfyd
  o gof y terfysgoedd
a daw arwyr gweundiroedd
Efail-wen yn fyw'n y floedd.

Yn ôl drachefn dros gefnen – y radio
  daw'r gweithredwyr amgen
a'u cof yw'r asgwrn cefen
a fala iet Efail-wen.

Hywel Heulyn Roberts
(cynghorydd sir a heddychwr)

Dros ei wlad fe fu'n gadarn,
y cryfaf oll, croyw ei farn,
a'i arfau oedd geiriau gwâr
a thân y llwyfan llafar,
cadfridog heb fidogau
yn arwain cyrch heb ddwrn cau.

Roedd ynddo ddur naturiol,
haearn iaith y di-droi'n-ôl.
Unai bawb drwy bwyntio bys
ac agor llygad gwgus.
Nid oedd, o argyhoeddiad,
eisiau gwn ar faes y gad.

Priodas ruddem Hywel a Carys Rees, Tre-saith

Un waith fe fentroch chithau – i'r môr mawr,
    y môr o serchiadau,
  ac, o'i hwylio, dod wnaeth dau
  yn dynnach ar ei donnau.

I Iolo Roberts a'i deulu o ddawnswyr gwerin

Yn fachgen gwisgaist wenau – ac yna
    daeth geneth y ceinciau
  o ddawns i ddawns i ryddhau
  Efailisaf o leisiau.

Trosedd

Liw nos, cyflawnwyd trosedd,
un â'i frws fu'n tarfu'r hedd.
Paentiwyd, anharddwyd murddun
â deuair hallt, ond er hyn
nid oedd prawf, prawf ar y pryd,
i'w arestio'n Llanrhystud.

Cofier am bob Tryweryn
o dan orchudd llonydd llyn
oer a mud, cans di-rym oedd
y lleisiau yn y llysoedd
am fod gan hil ddig'wilydd
hawl i'w dwyn yng ngolau dydd.

Gerallt

Drwy'r rhew caled daeth eto – yn ei ôl
    i'r fan hyn i frwydro
    ac o'i wirfodd gwisgodd go'
    y deunaw'n dynn amdano.

Ceri Wyn

Un eiliad o ddeuoliaeth, – un weddi
    o ffydd ac amheuaeth
    yw gwên a gwg awen gaeth
    ar ddau wyneb barddoniaeth.

Refferendwm – Mawrth 1997

As one may our nation say – a Yes, Yes
   with its heart on Thursday
and awake at break of day
to some freedom on Friday.

Refferendwm – Mawrth 2011

Ni welwyd ein Llywelyn
a'i lafnau a'i eiriau'n un
dan faner yr amseroedd;
ers Saith Naw, Llyw distaw oedd;
yn y gwaed roedd cownt hen go'
a'i rifau'n dal i frifo.

Ni fu Hyddgen eleni
na brwydro i'n huno ni,
ond mynnodd cof y fro frau,
a Mawrth yn drwm o wyrthiau,
adfer ein hysbryd lledfyw.
O fôt i fôt fe gawn fyw.

Gemau Olympaidd Llundain

Er bod haf ar bob tafod – yn y sir,
   er bod Sioe a Steddfod,
yr haf hwn fe fynnwn fod
yn dynn dan fflag Prydeindod.

Y Pwyllgor

Aeth dogfen Iaith Pawb yn broblem i'r Cyngor
ac i osgoi trafodaeth sefydlwyd pwyllgor
a fyddai yn fodlon i ddod ynghyd
am ffi resymol i wneud dim byd
ac eithrio creu rhwydwaith o is-bwyllgorau
i gyfathrebu â'i gilydd yn y gwestai gorau,
cans gall gweinyddwyr fod yn ddigon hael
wrth dalu am ateb y dymunant ei gael.
Ond yna fe welwyd, 'mhen tipyn o amser,
nad oedd yr un Cymro Cymraeg yn y nifer,
ac fel y gŵyr Pawb mae hi bellach yn hiliol
i alw pwyllgor nad yw yn gynhwysol.
Roedd angen cael llais i ollwng stêm
ac eto i barchu rheolau'r gêm,
llefarydd brodorol a fyddai'n ddigon hyblyg
i ddamcaniaethu â thafod Prydeinig.
Byddai'r elfen ddwyieithog, 'nôl Bwrdd y Ddwy Iaith,
yn rhoi cyfle i rai cyfieithwyr gael gwaith,
a phasiwyd y dylid, tra pery y pwrs,
adael i'r peiriant gael rhedeg ei gwrs.

Titanic

Hyd gyhydedd y gwledda, – ar antur
   drwy wyntoedd fe hwylia
   yn ddi-hid at fynydd iâ,
   Titanic yw Britannia.

Stomp 2004 heb Eirug Wyn

Yn dafod diedifar,
yn go' hil, yn Jaguar,
yn llond bar, yn ddihareb,
yn Fan U, yn ofan neb,
yn wig o wallt, yn wisg wen,
yn hwyl ar bob tudalen.
Mab y mans a'r ceir ffansi,
hen waedd ein cydwybod ni,
yn dad gwych, yn frawd a gŵr,
yn nofelydd, yn filwr,
a Ffilmiau'r Bont yn pontio
y ddau fyd oedd ynddo fo.
Yr huotlaf Herr Hitler,
hyn oll ac *entrepreneur*,
yn Saddam ym mhob un stomp
yn eirboeth yn ei fawrbomp,
yn fwy diniwed wedyn
heb un llais ond Robyn Llŷn.
Derec Tomos y ffosydd
yn Nhref Wen y Gymru Fydd,
y Queen Mum a'r hen ddymi,
syber ei wedd ym mhob sbri,
yn y cof eto'n llond ceg,
yn biws yn ei Bowyseg.
Cowboi oedd, y cowboi iaith
a arweiniai griw'r heniaith
ar drec hir dros dir ei dad
hyd Westerns pob gwrthdystiad,
yn salŵn ffilms eleni
Wyatt Earp i'w harbed hi.
Un ifanc mewn gwisg afiach
a than y wisg chwerthin iach.

Yn ei boen fe welai'r byd
yn fwyfwy digrif hefyd,
yn ei loes fe welai o
y comic yn y *chemo*.
Dyn arcêd stondinau'r cae
a dyn y bathodynnau,
ffeiriau haf yr Awstiau ffraeth,
y 'D' a'r farsiandïaeth.
Yn foel neu yn benfelyn
hyn i gyd oedd Eirug Wyn.

Iwan Llwyd

Ar daith drwy'r geiriau dethol – dilynaist
    lawenydd yr heol
    cyn troi adre'n foreol
    tua'r wawr – a'r het ar ôl.

Stuart Cable

The *craic* was never lacking – in the bars
    when the band was playing;
    from sesh to sesh hearts did sing
    on a drum made for dreaming.

Llwy garu

Dal llygad wna'r cerfiad cain – ar y silff,
  ond a'r serch yn gelain,
  mor anghynnil o filain
  yw llaw fer y gyllell fain.

Ffigurau

Mae i'r cyfan ychwaneg – a thu hwnt
  i iaith oer rhifyddeg
  mae eto fathemateg
  i droi y dau yn dri deg.

Symud tŷ

Er cymryd y daith eitha' – a diengyd
  o ing un breswylfa
  i le o well, ni leiha
  yr ofnau a'i dodrefna.

Ffurflen

O du'r duwiol daw'r holi – am a wnes
  mewn oes dros ddaioni.
  Oedaf, cans ni fedraf i
  â llaw onest ei llenwi.

Hanner amser

A oes rhif all fesur hyd
yr aeonau a'r ennyd?
A oes llathen all bennu
ehangder y dyfnder du?
A oes cof, rhyw broffes gau,
ry i funud derfynau?

Yr oriau oll yw'r awr hon,
eiliadau heb waelodion,
y gwagle hwnt i ddeall
clociau'n hamser cwarter call;
y Nawr sydd o'i haneru
o'r un faint â'r hyn a fu.

Canrif newydd 2000

Heno wrth glwyd y llwydwyll – annynol
rwyf innau am sefyll
nes y daw drwy'r nos dywyll
ryw gân i oleuo'r gwyll.

Dementia

Mae'r marian yn llawn hanes, – yn hafan
o atgofion cynnes,
ond dros y swnt, hwnt i'r tes,
yn y golwg mae Gwales.

Rhaw

(I gofio am Seamus Heaney)

Bu'n labro'n ein barddoniaeth
ag ysgrifbin gwerin gaeth.
Â llaw fain bu'n cywain cae
yn gyhyrog ei eiriau
i ddwyn ŷd hen ddoniau 'nôl
yn waraidd o gorfforol.
Yno'n nhirwedd delweddau
tad a thaid bu rhaid parhau
â chaib a rhaw cystrawen
yn y llwch i gloddio llên,
cloddio dicter cware'r co'
â Gwyddeleg ei ddwylo.
Â rhaw finiog sgrifennwyd
am was bach, am eisiau bwyd,
o boen i Boyne hogwyd barn
un a gydiai yn gadarn
fel hen werin y llinach
yn llafn dur yr awyr iach.
Yn ei law âi'r goes ddi-lol
yn offeryn corfforol
i weithio cerddi'r tirwedd,
i greu byd ac agor bedd.
Â'r rhaw'n arf yn Nhir na n-Og
sgrifennwyd saga'r fawnog.

Merêd

Dwyn llofft stabal y galon
wna Merêd i'r Gymru hon,
ail-greu yr hwyl, ac o raid,
y genedl o ddatgeiniaid.
Mae'r clywed yn weithredu,
codi tiwn yw cadw tŷ,
adeiladu aelwydydd
alawon y galon gudd,
iro'n hawch wrth rannu'n hael
o gof a fu'n ein gafael
a rhannu'i wên ddi-droi'n-ôl
yn fwynaidd benderfynol.

Bro Morgannwg

A ddaw medel haf melyn – i gywain
    hen gaeau Wil Hopcyn?
    Heddiw o bateo'r tyddyn
    onid rhith yw'r gwenith gwyn?

Sycharth

O du'r drin y dewr ei dras – a alwyd,
    tawelodd y gadlas;
    o'r hen Glawdd rhydd bryniau glas
    i Lansilin ei solas.

Efeilliaid

Ar funud fud y llef fain – a glywant,
   hwnt i glyw, yn atsain
yn y sêr ar donfedd sain
sy'n hŷn na'r synau'u hunain.

Clo

Gen i mewn stydi mae stôr – o bethau
   na wnaf byth eu hepgor,
ond er hyn y mae un drôr
a wagiwn – petai'n agor.

Dyddiadur

Y forwyn ddileferydd – ar eni'r
   gwirionedd tragywydd
a dry'n sydyn, derfyn dydd,
yn fydwraig go dafodrydd.

Cydwybod

Hyd fôr o edifeirwch – yr hwyliais
   o'r aelwyd, ond cofiwch,
heno mi gaf ddiddanwch.
Mae'r cof wedi clymu'r cwch.

Ysgol y Goedwig

(y model Sgandinafaidd lle dysgir
y plant yn yr awyr iach)

Yn y coed 'sdim drws yn cau
na welydd i feddyliau
mewn ysgol a leolwyd
hwnt i gloriau llyfrau llwyd,
a chae o weld o'i chylch hi
sy' heddiw'n gampws iddi.
Un ddôl o stafelloedd yw,
un goedwig o ddysg ydyw.
Mae ysgrifen amgenach
ar bedwar mur awyr iach
ac ar lwyfan y canu
y sgwlyn yw'r deryn du.
Mae i'r gwersi storïwr
gyda'i chwedlau, gorau gŵr,
a rhamant chwedel felen
ddaw â lliw i dirwedd llên.
O gainc i gainc deffro gwig
a wna Gwydion y goedwig.

Aber afon Teifi

O fewn y tafarn ger afon Teifi
byddin gefnog sydd yn ei pherchnogi,
i bob un egwyl mae mabinogi
a'u cwrw'n hawlio'r bar a'r corneli,
ond gogyfer â'r Fferi – dwed y dŵr,
o'u haber o stŵr, 'ni bia'r stori'.

Yr Hen Elyn yn 2018

Er iddynt hwy berchnogi yr hen ynysoedd hyn,
eleni, mas o bedwar, y pumed oedd y gwyn,
ac er bod May y maswr yn gweiddi nerth ei cheg
nid oes yr un awdurdod yn deillio o'r Rhif Deg;
y pac, heb ddim disgyblaeth, sy'n ymladd am y bunt
er mwyn ei chadw'n Llundain fel yn yr oesoedd cynt
a'r olwyr anghofiedig yn methu newid gêr
sy'n gicwyr digyfeiriad â sgiliau trafod Blair,
yn brin o weledigaeth, heb seren yn eu plith –
yr unig un twyllodrus yw Corbyn, 'r asgell chwith.

Y Gwyddyl sydd yn chwarae a'u traed yn dawnsio'n rhydd
a'r Alban o dan Sturgeon sy'n gweled toriad dydd.
Fe fydd 'na gemau pwysig i'w chwarae ym mis Mai,
ond Jones, nid James, yw Carwyn, a'n gobaith felly'n llai.
Ond pe bai carfan Cymru yn dechrau codi stîm
a phe bai Elis-Thomas yn well chwaraewr tîm
fe allai'r 'Hymns and Arias' a hen emynau'r cae
i dreiglo fel pêl rygbi o'r Stadiwm lawr i'r Bae.
Er colli'n rhacs yng Nghatraeth, mi wn y daw, myn Duw,
y fuddugoliaeth fwyaf oll ar 'gabbage patch' HQ.

Nigel Owens

O'r ryc y rhagfarn a'r rheg – a giliodd
cans gwelai pob pymtheg
fod chwiban yn ychwaneg
ynot ti dros chwarae teg.

Aneurin

Hwnt i ffin yr amlinell
erys byd, boreoes bell,
ac oglau iaith cefen gwlad
yn sioe eiriau o siarad;
hawlio tir yr eiliad hon
mae deugae o gymdogion.

Yn y llun pan fyddo lled
y galar yn y gweled,
lliwiau hud sy'n ymbellhau
yn feysydd ar gynfasau
nes troi'r tirlun ei hunan
yn hen gof, yn ddarn o gân.

Oedai ar bwys y llidiart
ar lain goch neu ar lôn gart
a thirwedd llynedd y lle'n
glynu fel hen grys gwlanen;
yng nghilfachau'r mannau mud
halltach yw llygad alltud.

Kyffin Williams

Mae'r caledfyd goludog – a rhamant
   y trumiau caregog
  yn gyfun, a'r glyn a'r glog
  yn noeth mewn paent unieithog.

Cwpan Ewrop 2016

I dir neb daw'r werin wâr
fel cynt drwy'r hafwynt llafar,
daw â'i chân yn garfan gall
i Ewrop canrif arall,
yn Salem o anthemau,
yn waliau coch canol cae.

Ac yn awr mae'n hogiau ni
yn fin hwyr o faneri,
yn gamper-fans, yn *fanzones*,
yn dair iaith, yn brin o drôns,
yn hwyliau mawr, yn law mân,
yn Wali, yn Joe Allen.

Yn yr Iwros diffosydd
criw ar dân sy'n cario'r dydd,
yn Shiraz y terasau
nid oes Somme sy'n eu dwysáu.
Deil synau gynnau'n y gwynt
ond bwledi Bale ydynt.

Will Lloyd, Pontrhydfendigaid
(pêl-droediwr)

Yn ifanc o gae'r cofio – daw i'r Bont
   â'r bêl unwaith eto,
  a'i thrin a'i throi yn ei thro
 a wna Will – a'i hanwylo.

Penllwyn Du

'Ac ef a gychwynnwys y nos honno o Arberth,
ac a doeth hyt ym Penn Llwyn Diarwya, ac
yno y bu y nos honno.'

Penllwyn Du yw'r llety llawn
lle gwariai Pwyll ac Arawn
yr amseroedd pan oeddynt
yn eu gwin yn hela gynt.
Rhyw ddoe o hyd sy'n rhyddhau
Dyfedeg hen dafodau
mewn un gyfeddach lachar
o rithio byd wrth y bar.
Yno fyth yr hen helfâu
â'n un â'n heddiw ninnau.
A'r 'Wes Wes' yn cynhesu,
lle nid oes fel Penllwyn Du.

Wynmor Owen, Trefdraeth
(arlunydd a cherflunydd)

Y llygad ar y moelydd
yn hel y darnau 'nghyd,
gweddillion postion ietau
y cenedlaethau mud.

Y dwylo yn y gweithdy
yn trafod cŷn a phlaen
a'r clust yn clywed stori'r
cyfarwydd yn y graen.

Gwyn Thomas

Mae 'na draeth ym mhen y dre
yn yr heulwen, chwaraele
i'w gamu ar awr gymysg
dan awyr las dinas dysg,
y traeth anwastad rhithiol
a'i don wen nad yw'n dod 'nôl.
Ar lannau'r hwyl yno roedd
yn dad, a Medi ydoedd,
yntau yn un â'r plantos
yn tynhau y clymau clòs.
Cans tua'r traeth helaethaf
dros y Garnedd ddiwedd haf
denwyd Stiniog o hogyn
i fyw'n ei ddoe, ef yn ddyn
ifanc ei wisg ar gefn cân,
yn gowboi yn ei gaban,
yn John Wayne sedd tair ceiniog
adre'n iau o'i Dir na n-Og.
Ar y traeth yn oriau'r trai
oeda yr un a'i troediai
i'n tywys at y tywod,
mannau dwys ein mynd a dod.
Yno mwy ym min y môr
o'i Hengerdd daw o Fangor
i ail-fyw yr awel fain
yn hogyn un a deugain,
i gerdded ac i gredu
yn y Tad a chadw'r Tŷ.
Ac ar arfordir hiraeth
ym Mhen-dre mae yna draeth ...

Cwch bach coch (i Dewi Pws)

Mae 'na bentre draw yn rhywle
lle mae'r môr yn lasach glas,
lle mae'r teidie drwy'r blynyddc
yn dod mewn er mwyn mynd mas.
Gwn yn iawn ei fod ef yno,
heb fod nepell o Dre-saith,
cans fe fûm rhwng cwsg ac effro
yn ei grwydro lawer gwaith.

> A phan welaf fro'r breuddwydion
> hwnt i fae y Saeson croch
> hwyliaf yno dros y wendon
> am fod gennyf gwch bach coch.

Chwiliaf long sydd yn angori
rhwng yr ogofeydd a'r traeth
lle mae'r môr yn dweud ei stori
fesul rownd o gwrw ffraeth,
chwiliaf hafan o ddynoliaeth
a chymdogaeth yn ei chôl
lle mae'r iaith yn gwrthod marw,
lle mae'r cloc yn mynd am 'nôl.

> A phan welaf fro'r breuddwydion
> hwnt i fae y Saeson croch
> hwyliaf yno dros y wendon
> am fod gennyf gwch bach coch.

Wrth y bar mae hen gapteiniaid
a fu'n morio'r tiroedd sych
a bu rhai o'r rheini'n hela
gyda Phwyll ar lannau Cuch.
Er bod weithie naws yr hydre
yn eu gwydre hanner gwag
draw ar dywod plant y tonne
y mae'r caere yn Gymrâg.

A phan welaf fro'r breuddwydion
hwnt i fae y Saeson croch
hwyliaf yno dros y wendon
am fod gennyf gwch bach coch.

Hazel Charles Evans
(Trimsaran a Threlew)

Hwnt i floedd y moroedd maith – ei Chamwy
a'i chwm sy'n un plethwaith;
mae dwy acen i'r heniaith
a lle i'r pwll ar y paith.

Traeth

Un cadle rhwng creigleoedd – rhyw hen oes,
tir neb y byddinoedd
hyna'n bod, a'i dywod oedd
yn felyn gan ryfeloedd.

Côr Meibion Blaen-porth

Dewch i'r ysgol ar nos Fercher pan fo'r tywy'n troi yn ôr,
fel un teulu gyda'n gily' bydd y lleisie'n chwyddo'n gôr,
ac i draw y 'Pererinion' i gyfeiliant llanw'r môr
fe ddatgenir yr atgofion wrth i'r clust solffeio'r sgôr,
i gyfeiliant llanw'r môr.

Clywch ddwy ochor afon Teifi'n harmoneiddio o'r naill du,
hen warineb yn cydgordio fel ag yn yr oes a fu,
cyn cael blasu'r ddiod gadarn yn y Gogs a'r Penllwyn Du,
yn y Gogs a'r Penllwyn Du,
lle mae'r peintie'n codi hwylie
a'r rhai hynny'n gwneud eu hôl wrth i'r hiraeth alw'n ôl
y nosweithe mawrion inni pan oedd Abba ar ben stôl.

Hyd ein glanne o ganeuon y mae'r llanw'n mynd a dod
a daw Gwanwyn y Gwanwynau i flaguro fel erio'd.
Deil y deryn du i ganu am fod Grym yn troi y rhod
ac yn neuadd y calonnau mynnwn ninnau ganu clod
i'r hen gôr sy'n saith deg o'd.

Kees Huysmans, Tre-groes
(enillydd y Rhuban Glas, 2016)

Yn y llais fe glywir llef – arhosol
        Tre-groes a rhiw Faerdref;
    gan i'r libart droi'n gartref
    yn fan hyn mae'i lwyfan ef.

Ianto

Roedd angor i bob stori,
deallai, darllenai'r lli,
cyhyd â'r byd oedd y bae,
yr heli o gyfrolau,
ac yn llaw fer y cerrynt
ym mhob un gair gwelai'r gwynt.

O beint i beint llywio'r bad
wnâi moroedd o gymeriad,
bad y dwedyd ffrothlyd, ffraeth,
y bad sy'n llawn gwybodaeth;
yn y Ship bob yn dipyn
âi'r brag oer yn harbwr gwyn.

Ar fin nos rhyw hafan oedd
i Ianto rhag y gwyntoedd,
y lle-i-fynd derfyn dydd
i wadu y diwedydd;
o'i gornel ger yr heli
angorai'r llong ar y lli.

Yn ei byls roedd rythmau'r bae
a thon yn ei wythiennau;
tan y wên ein capten oedd
a'i firi yn gefnforoedd
ac ar arfordir hiraeth
tawelach, tristach yw'r traeth.

Cae'r Vetch
(sy'n rhandiroedd bellach)

Mae'r Vetch yn gabetsh i gyd,
yn dew gan arddwyr diwyd;
yn ddi-hid carfan a ddaeth
i balu fy mabolaeth,
i droi Eden yr enaid
yn bys, yn bannas di-baid,
ac ar y maes bags Grow-more
a saif lle dawnsiai Ivor,
ein Ifor Hael. Gwael yw gwedd
y moron lle bu mawredd.
A chof yn fresych hefyd
mae'r Vetch yn gabetsh i gyd.

Er cof am Wyn Lewis Jones
(un o ffyddloniaid y Vetch a'r Liberty)

Er i'r rhethreg ostegu – yn araf,
     er i'r geiriau ballu,
  yn addfwyn ein dwyn i'w du
  wnâi Wyn wrth ddal i wenu.

A chofio wnawn drachefen – ei wyneb
     bachgennaidd, digrechwen;
  yn y gist ni chleddir gwên
  Wyn y Glo dan y gleien.

Emyr a Richard Oernant

(Ebrill 2018)

Fe ddaeth gwanwyn i'n swyno,
i fwrw'i had dros y fro,
y llwyni ir sy'n llawn nodd
a hen gaeau yn gwahodd
ac yng ngwres y buchesi
un llain werdd yw'n Hebrill ni,
un wennol dry'n wenoliaid
i fynnu haf yn un haid.
Llonydd yw'r dolydd a'r dŵr,
a weithiau daw amaethwr
yn haul y dydd i hôl da,
ond Emyr nid yw yma.

Hyd y lein mor dawel yw – o golli
    ei gellwair unigryw,
    ond wedyn nid mud ydyw,
    yn ei fab mae'n dal yn fyw.

Ti, Richard, ydyw warden
erwau ffraeth y llaeth a'r llên,
y ddoe hŷn a'r meysydd iau
a'u gwaddol o gywyddau,
ti wedyn yw'r dreftadaeth
a rhan wyt o'r hyn a aeth.

Eto fel llanc ifancach
a darn o hyd o'r un ach,
o gae i gae cana'r gân
a hynny fel dy hunan.

Odliadur Roy Stephens

Neuaddau'r mydryddu a hud yr aeddfedu
a unai bryd hynny i lasu y wlad,
yn wrda'n ei ardal, yn ddifai o ddyfal
â gofal bu'n cynnal aceniad.

Yn ŷd o drawiadau, yn haidd o ddelweddau
bu'n cywain o'r caeau ein geiriau i gyd;
o'r grynnau mor gryno ein hiaith gadd ei llwytho
a'i storio dan do gan ŵr diwyd.

A heddiw mae'r gwaddol yn fwyd i'r dyfodol,
y gwenith gwahanol sy'n gabol a gwâr,
lliw haf o sillafau ar gyfer gaeafau
yn fyrnau o ddoeau'r hen ddaear.

Pengwern

Ym miri'r gwin y mae erwau'r gynnen,
yn hedd y dolydd heneiddia deilen,
a chadw amser mae cof y dderwen
am hel eogiaid, am wylio agen.
Daw'r haf o hyd i'r Dref Wen – drwy'r niwloedd,
oeda'r canrifoedd yn nyfroedd Hafren.

Graffiti

Pan fo wal yn dudalen – i gymell
   y rhigymwr amgen
   â gair a lliw i greu llên,

yn finiog, answyddogol – efo'i baent
   fe â bardd y bobol
   i eirio'i salm aerosôl.

Hon yw awen ein heno, – mae'n awen
   i'w mwynhau a'n herio,
   yn rant na chaiff ei phrintio.

Yna wedyn, heb oedi – daw dynion
   dienw i'w golchi
   a dileu ei hodlau hi,

ac, heb ddeall, awn allan – i rodio
   hyd y strydoedd aflan
   a'r waliau oll yn rhy lân.

Robyn Tomos
(Swyddog Celfyddydau Gweledol
yr Eisteddfod Genedlaethol)

Lluniaist o'r canol llonydd – yn waraidd
   inni oriel newydd
   a gwelwn heb gywilydd
   o'i muriau hi Gymru rydd.

Cywydd gofyn

(cais ar ran CYD ar i Gymry Cymraeg
ddod i siarad â dysgwyr)

Dere mewn i gadw'r mur.
Y dasg yw hybu'r dysgwyr
ac estyn llaw groesawgar
draw i sgwrs dy filltir sgwâr,
siarad mân a wna'n huno
ni i gyd yn deulu dan do.

Mae yno iaith i'w mwynhau
a phaned chwalu ffiniau,
y baned sy'n ddywedyd,
siarad sy'n gariad i gyd.
Dere i agor y stori
gyda gwên. Mae d'angen di.

Philippa Gibson a Nic Dafis

Ym Mro Hawen mae heno – hen aelwyd
   sy'n olau, ac yno
y mae celfi cerddi'r co'
yn llanw'r stafell honno.

Tony Bianchi

Dan haul tesog ei glogyn – y llechai,
   yn llachar ei englyn,
a mil o flodau melyn
wedi'u gwau drwy'r du a gwyn.

Gweddi

Ni chodaf donfedd gweddi,
o Dad, ar fy iPod i;
heb rifnod i decstio Duw
drudwe ddidrydar ydyw,
ni chei nawr fel achau 'nôl
Radio God ar digidol.

Ond roedd yn Noddfa'n hanes
arlwy well na'r weierles.
Roedd trwydded i waredu
'meiau gant ar set Mam-gu
heb ffwndro â radio rad
nad yw'n codi ein Ceidwad.

Ceris Doyle
(fy chwaer yng nghyfraith)

Drosom ni y gweddïai, – yn ei ffydd
    nid ei ffawd a'i poenai,
    gyda dewrder adre'r âi
    â hyder un a gredai.

Gernika

Fesul darn yn y garnedd – o gerrig
    yr oedd gwŷr a gwragedd,
    ond erbyn hyn y mae hedd,
    tawelwch, nid dialedd.

Cylch

Os dewrach oedd ein stori – a ninnau
    Yn nawn ein gwrhydri,
  liw nos fe ddychwelwn ni
  'nôl i wâl si-hei-lwli.

Nadolig

Amgen yw Gŵyl y Geni – inni mwy
    gwaetha'r modd; y stori
  sy'n hen, a'i neges i ni
  yn ymyrryd â'r miri.

Wyn Davies
(pêl-droediwr dros Newcastle United a Chymru)

Yn fud fel barcud uwchben – y'i cofiwn,
    y Cofi o fachgen,
  yn fawr ei nerth fry'n y nen
  yn oedi ar ddwy aden.

Gary Speed

Ar nawn Sadwrn y mwrnio – mae 'na gêm,
    mae 'na gôls i'w sgorio,
  a therasau campau'r co'
  yn dal i guro dwylo.

Gŵyl Crug Mawr

Erwau Awst dan roc 'n rôl,
rhith o wenith trydanol,
gŵyl haf ar faes cyflafan
a dau gae yn gnwd o gân,
y to iau yn hau yr had
a medi'r Ail Symudiad.

Ymgryfhau mae drymiau'r drin,
curo mae Banc y Warin
i fît ffyrnig y gigio
draw o'r cae hyd frwydrau'r co'.
Ger y Crug mae'r Gymru gaeth
yn ddewrach ei cherddoriaeth.

Eisteddfod yr Urdd, Llannerch Aeron, 2010

Mae cân y llwyfan a'r lli – yn uchel
a'n hawch i oroesi
yn y trilliw sy'n troelli
drwy ein hafon Aeron ni.

Ym mynwent Bryn-mawr

Er bod cen ar yr enwau – a'r ddaear
mor ddierth â hwythau,
ym Mryn-mawr yn huno mae
hen, hen daid a'i wendidau.

Caerdydd 2018

Pan ddaeth Mai a'i lifrai las
i ddenim y brifddinas,
ger Taf yr oedd edafedd
ein doe gwych yn brodio gwedd;
un naw dau saith a weithiwyd
i frethyn dilledyn llwyd.

Yno'n swyn y ddinas hon
o leisiau, adar gleision
yn ei gwanwyn a ganai
o lwyn i lwyn ger Elái;
draw ymysg y trydar mân
un lôn wen oedd Hewl Ninian.

Teg yw'r gangen eleni
a thecach, harddach yw hi
wedi i Awst ddod â'i hwyl
i roi hafan i'r Brifwyl
a holl ias ein llain a'n llên
yn ymwau'n lliwiau llawen.

Joe Allen

Bonllef ac asgwrn cefen – a wisgai
    fel terfysgwr amgen;
    un o lwyth yr Efail-wen
    yw'r jawl a yrr Joe Allen.

I Jim a Manon – Awst 2007

Gwelaist dy wybren ysblennydd
dros dirwedd dau ar ddiwedd dydd,
y dychymyg yn gochni gair,
rhodd Gwydion, yn gerdd y gadair.

Yn yr hwyr wrth ddaearu'r haf
aeth y syllu yn wyth sillaf,
cywydd yn fynwentydd, yn fedd,
ac angau heno'n gynghanedd.

Ond ar ffin dy ddoe dewinol
a eilw'n heuliau ninnau'n ôl
un rhan o'r lledrith wyt tithau
o ddydd i ddydd – yn un o ddau.

Ym mhriodas Gwawr Jones a Rhys Taylor

O du cantorion diwyd – i'n hudo
    fe ddaw nodau hyfryd;
    yn eu hafiaith maent hefyd
    yn ddau'n y gerdd hyna' i gyd.

Urddas

Nid rhwysg y porffor sy'n sancteiddio'r llan,
nid Calfaria crefydd yw gwisgo lan.

Pylu wna crandrwydd y briodas ddrud
a'r holl addewidion yn gelwydd i gyd.

Ar brynhawn y cadeirio ni all defod hardd
yn llygad goleuni droi prydydd yn fardd.

Ar y llwyfan cyhoeddus, lle bynnag y trown,
mae'r ffin yn denau rhwng arglwydd a chlown.

Maniffesto

Ei geiriau yw'r geiriau gynt – a mwswg
yr amwysedd drostynt,
addewidion ddoe ydynt
yn goegni gwag yn y gwynt.

Ystafell Fyw, Caerdydd
(canolfan adferiad i bawb mewn caethiwed)

Lle'r oedd y gwinoedd yn gell – a'r ddiod
awr dduaf yn cymell,
y mae'n braf cael ystafell
yn fan hyn – i fyw yn well.

Tre-saith

Mae'r llanw fel marwolaeth
i'r pentre'n mynd a dod
yn greulon o ddihiraeth
fel petai dim yn bod.
Ond plant yr hen atgofion
sy'n chwarae yn y trai
a'u gwylio wna'r ysbrydion
trwy lygaid gwag y tai.

Adre i alwad yr heli
y mae'n hwyr, ond mynnwn ni
hawlio'r awel a'r ewyn,
hawlio'n ôl y glannau hyn.

Penglogau o gymuned
sy'n syllu tua'r bae
fel deillion sydd yn gweled,
heb weled fel y mae,
yn chwilio am bysgotwr
tu hwnt i'r gorwel llwyd
i ddod yn ôl i'r harbwr
a sgadan yn ei rwyd.

Ac er bod rhai bythynnod
i'r teid yn drwm eu clyw,
er marwnad y gwylanod
i hen, hen ffordd o fyw,
mewn tŷ a wnaed o'r tonnau
yn fynych clywaf i
sŵn llong yn codi hwyliau
yn siarad iaith y lli.